dick bruna

CW00940512

miffi 'n
mynd
i ffwrdd

Hughes

Un diwrnod daeth llythyr i Miffi

i'w gwahodd i aros 'da'i ffrind,

hwrê! meddai Miffi, gwahoddiad

i aros dros nos ac rwy'n mynd!

Doedd Miffi ddim erioed wedi bod

i ffwrdd ei hun o'r blaen,

hebryngodd Mami hi i'r bws

ond dim ond Miffi aeth ymlaen

Pryd fydd y siwrnai hon ar ben?

meddyliodd Miffi a'r bws ar fin mynd,

edrychodd allan yn gyffrous a

phwy welodd hi ond ei ffrind?

Helô Miffi, galwodd ei chyfaill,

gwelson ni ti'n eistedd yno,

gwenodd mam ei ffrind hi hefyd,

braf dy weld di, Miffi, croeso

Wnaeth y ddwy ddim byd ond siarad

ar y dechrau, a dyna i chi sgwrs,

roedd sbel ers i Miffi weld ei ffrind

ond rhaid oedd chwarae hefyd, wrth gwrs!

A dyma chwarae mig dan guddio,

o! mi oedd 'na hwyl i'w gael

roedd yr ardd yn llawn o goed

i'r ddwy gael chwarae rhwng y dail

Ac yna gêm o hela'i gilydd,

cyffwrdd, rhedeg, ti yw'r 'un'

fe redon nhw nes dechrau pendro

a methu cofio p'un oedd p'un!

Wedyn bant â nhw i sglefrolio

am y tro cyntaf i'n Miffi ni

cer di gyntaf, meddai hithau

cei di ddangos shwd i mi

Ond pan ddaeth tro Miffi nesa

gallwch weld yn glir

er bod sglefrolio o! mor anodd

llwyddodd hi i ddal ei thir

Fe dreulion nhw'r prynhawn dan do

gyda glud, siswrn a chardiau

a gweithiodd Miffi'n galed iawn

i wneud casgliad o fygydau

Gyda'r nos roedd mwy o hwyl

a'r ddwy'n neidio i'r baddon

bu taflu dŵr a chwerthin mawr

ac o do wir, fe wlychon!

Erbyn hyn roedd amser gwely

wedi cyrraedd, roedd hi'n hwyr,

ac ar ôl siarad, chwarae, chwerthin,

roedd y ddwy ffrind wedi blino'n llwyr

Miffi'n mynd i ffwrdd
Teitl gwreiddiol: nijntje gaat logeren
Darluniau: Dick Bruna © Hawlfraint Mercis bv, 1988
Testun: © Hawlfraint Dick Bruna 1988
Argraffiad Cymraeg: Hughes a'i Fab 1999
Hughes a'i Fab, Parc Tŷ Glas, Llanisien, Caerdydd CF4 5DU
Addasiad Cymraeg: Luned Whelan
Trwyddedwyd yr hawliau cyhoeddi gan Mercis Publishing bv, Amsterdam
Argraffwyd gan Sebald Sachsendruck Plauen, Yr Almaen
Cedwir pob hawl